Josué

Depois de peregrinar 40 anos no deserto, finalmente o povo de Israel chegou à terra prometida. Acampou-se às margens do rio Jordão. Do outro lado do rio erguia-se a cidade de Jericó com suas muralhas.

Moisés chamou Josué e disse:
— Josué, estou chegando nos últimos dias de minha vida, não entrarei na terra prometida. Mas alegre-se! Você foi escolhido por Deus para conquistar esta terra e dirigir o povo. Seja corajoso e tenha bom ânimo, pois o Senhor está com você.

Então, subiu Moisés o monte Nebo e contemplou toda a terra que Deus tinha prometido para Israel e ali morreu.

Deus então falou a Josué:

"— Agora seja forte e não tenha medo, porque você fará este povo herdar esta terra e Eu, o Senhor Todo-Poderoso, estou com você. Faça tudo conforme a minha Palavra".

Josué, orientado por Deus, falou aos israelitas:

— Amanhã atravessaremos o rio Jordão e conquistaremos esta terra! No dia seguinte, os israelitas seguiram todos em direção ao rio.

Na frente foi a arca da aliança (o símbolo da presença de Deus) carregada pelos sacerdotes. Quando eles pisaram na beirada do rio, as águas de uma banda do rio pararam de correr e as águas da outra banda escorreram, formando uma passagem de terra seca. Os sacerdotes carregaram a arca até o meio do rio Jordão e esperaram até que todo o povo passasse pelo rio e alcançassem o outro lado.

Depois que todos passaram, então os sacerdotes seguiram. Assim que seus pés tocaram a outra margem, as águas do rio tomaram seu lugar e recomeçaram a correr.

Chegando do outro lado, fizeram um monumento com 12 pedras, cada pedra simbolizava uma das doze tribos de Israel. Fizeram isso para ficar como lembrança desta passagem milagrosa. Perto de Jericó, acamparam-se.

Já era noite, Josué estava olhando para as muralhas, pensando como iam enfrentar este desafio, quando apareceu um anjo com uma espada na mão. Josué perguntou:

— Quem és?

— Sou o príncipe do exército do Senhor — respondeu o anjo. Josué, então, se ajoelhou e disse:

— O que o Senhor quer que façamos?

O anjo respondeu:

— Deus vai lutar por vocês, a vitória é certa!!

Vocês devem marchar em volta das muralhas durante sete dias. Nos seis primeiros dias apenas uma vez e em silêncio, porém no sétimo dia darão sete voltas e, ao final da sétima volta, os sacerdotes soarão as trombetas e todo o povo gritará com força.

Então, no dia seguinte, Josué reuniu os sacerdotes e o povo e ordenou:

— Avancem! Marchem em volta da cidade. — Seguindo na frente a arca da aliança carregada pelos sacerdotes, em seguida todo o povo (homens, mulheres e crianças) rodearam a cidade uma vez e regressaram ao acampamento. E assim fizeram durante seis dias. No sétimo dia, eles rodearam a cidade sete vezes. Na sétima volta, Josué ordenou:

— Sacerdotes, toquem as trombetas! Povo de Deus gritem, pois o Senhor entregou esta cidade para vocês!

Ao soarem as trombetas, o povo gritou, houve um grande estrondo e os muros da cidade caíram. Assim, de uma forma maravilhosa, Deus deu a vitória ao seu povo.

Gideão

Houve uma época que a nação de Israel estava em guerra com os midianitas. Só um milagre poderia livrá-los.

Gideão era o filho mais novo de Joás, da tribo de Benjamin. Estava malhando o trigo, quando apareceu um anjo e lhe disse: — O Senhor está com você, homem valente! Gideão respondeu: — Ai, Deus meu! Se o Senhor está comigo, porque estamos sendo oprimidos pelos midianitas?

— Deus escolheu você para livrar Israel, com sua força e coragem será vitorioso! — respondeu o anjo.

— Mas eu sou o menor da minha família e ela é a mais pobre de Israel!

— Eu disse que Deus está com você, Gideão, por isso creia que será vencedor e porá um fim a esta guerra — reafirmou o anjo. Gideão, então, ergueu um altar ao Senhor e lhe chamou "O Senhor é Paz".

Gideão enviou mensageiros a todas as tribos e reuniu os guerreiros. Quando estavam todos acampados, Gideão pediu a Deus:

— Senhor, se eu sou o escolhido, dê-me um sinal. Colocarei na terra uma porção de lã e deixarei durante toda a noite, se na manhã seguinte o orvalho estiver somente nela e a terra estiver seca, saberei que é esta a sua vontade.

No dia seguinte, Gideão acordou bem cedo e, apertando a lã, o orvalho dela encheu uma taça, a terra em volta estava seca. Porém, Gideão voltou a orar pedindo:

— Senhor, não fique zangado, mas eu lhe peço mais um sinal, desta vez que só a lã esteja seca e na terra ao redor haja orvalho. — E Deus assim o fez.

Confiante, Gideão reuniu os guerreiros e partiu. Chegaram perto de uma fonte chamada Harade e acamparam. Deus disse a Gideão:

— Você tem guerreiros demais, fale a esses homens que, se entre eles tiver alguém com medo, este poderá voltar. — Voltaram 20 mil homens, ficaram 10 mil.

Deus voltou a dizer:
— Ainda há povo demais, leve-os para o rio e ali os provarei. Aqueles que eu disser, irão com você. — Gideão obedeceu. Chegando às margens do rio, Deus falou a Gideão:

— Olhe bem seus guerreiros, separe o homem que tomar a água com as mãos daquele que se ajoelhar para beber.

Trezentos homens levaram a mão à boca vigiando, enquanto bebiam a água, o restante se abaixou para beber.

Deus, então, disse: — Com estes trezentos homens, Eu livrarei Israel, diga aos outros que voltem. — E assim foi feito.

Do lugar onde estavam, Gideão e seus homens podiam ver o acampamento dos midianitas, eles eram muitos, pareciam gafanhotos. O Senhor instruiu Gideão sobre a batalha. Gideão, então, dividiu seus homens em três exércitos, deu a cada guerreiro uma trombeta e um vaso contendo uma tocha acesa.

Disse-lhes Gideão:

— Olhem para mim e façam o que eu fizer. Quando eu e os que comigo estiverem tocarem a trombeta, toquem também e gritem "Pelo Senhor Deus e por Gideão!". Em seguida, quebrem o vaso e ergam a tocha. Gideão e seus homens cercaram o acampamento.

Ao sinal, tocaram as trombetas e gritaram com força. Logo em seguida, quebraram os vasos e levantaram as tochas. O exército inimigo assustou-se, pensando tratar-se de um grande exército. Começaram a correr de um lado para outro, Deus colocou confusão e começaram a lutar entre si.

Os soldados de Gideão seguravam na mão esquerda a tocha e na direita a trombeta e gritavam:

— Pelo Senhor Deus e por Gideão!

E Deus, ressoando como o trovão no meio do acampamento, fez com que, apavorados, os midianitas fugissem.

Deus, assim, livrou Israel sem que Gideão e seus homens precisassem lutar com armas, apenas confiaram no Senhor e foram vitoriosos.